Profiadau cyntaf

Mynd at y meddyg

Anne Civardi
Golygwyd gan Michelle Bates
Lluniau gan Stephen Cartwright
Dyluniwyd y clawr gan Jan McCafferty
Trosiad gan Hedd a Non ap Emlyn
Ymgynghorwyr meddygol: Catherine Sims BSc; MBBS
a Dr Lance King

Mae hwyaden fach felen yn cuddio ar bob tudalen ddwbl. Alli di ddod o hyd iddi?

Dyma Mr a Mrs Harris a'r teulu.

Mae peswch cas ar Hanna ac mae Huw wedi brifo'i fraich.
Rhaid iddyn nhw fynd i weld y meddyg.

Mae Mrs Harris yn ffonio'r syrjeri.

Mae hi'n trefnu gweld y meddyg ac mae Mr Harris yn helpu Huw i wisgo. "Aw! Gwylia fy mraich i, Dad!" mae Huw yn gweiddi.

Mae Mrs Harris a'r plant yn mynd i'r syrjeri.

Mae Mrs Harris yn mynd â'r plant i weld Doctor Ifans. "Mae gennyn ni apwyntiad am 2 o'r gloch," mae hi'n dweud wrth y ddynes.

Mae'r ddynes yn y dderbynfa yn edrych yn ei llyfr.

"Apwyntiad ar gyfer Huw a Hanna?" mae hi'n gofyn. "Ie, a Hywel hefyd," mae Mrs Harris yn ateb. "Mae angen brechiad arno fe."

Mae Mrs Harris a'r plant yn eistedd yn yr ystafell aros.

Mae llawer o bobl yn aros i weld y meddyg. Mae Mrs Harris yn darllen llyfr i Hanna. Mae Huw a Hywel eisiau chwarae.

Tro Mrs Harris a'r plant yw hi nawr.

Mae Doctor Ifans yn galw enw'r teulu. "Pwy sy gyntaf?" mae hi'n gofyn. "Fi," mae Huw yn dweud, gan ddangos ei fraich iddi.

Mae Dr Ifans yn edrych ar fraich Huw.

"Dydy dy fraich di ddim wedi torri," mae hi'n dweud wrtho, "ond rwyt ti wedi troi dy arddwrn."

Mae Dr Ifans yn rhoi braich Huw mewn sling.

“Gwisga hon am ddiwrnod neu ddau, a bydd dy fraich di’n gwella’n fuan,” mae hi’n dweud wrth Huw.

Mae Dr Ifans yn edrych ar Hanna.

Mae hi'n mesur ei thymheredd â thermomedr. Yna mae hi'n edrych i lawr ei gwddw. Mae e'n goch iawn.

Yna mae hi'n edrych ar glustiau Hanna. Maen nhw'n iawn.

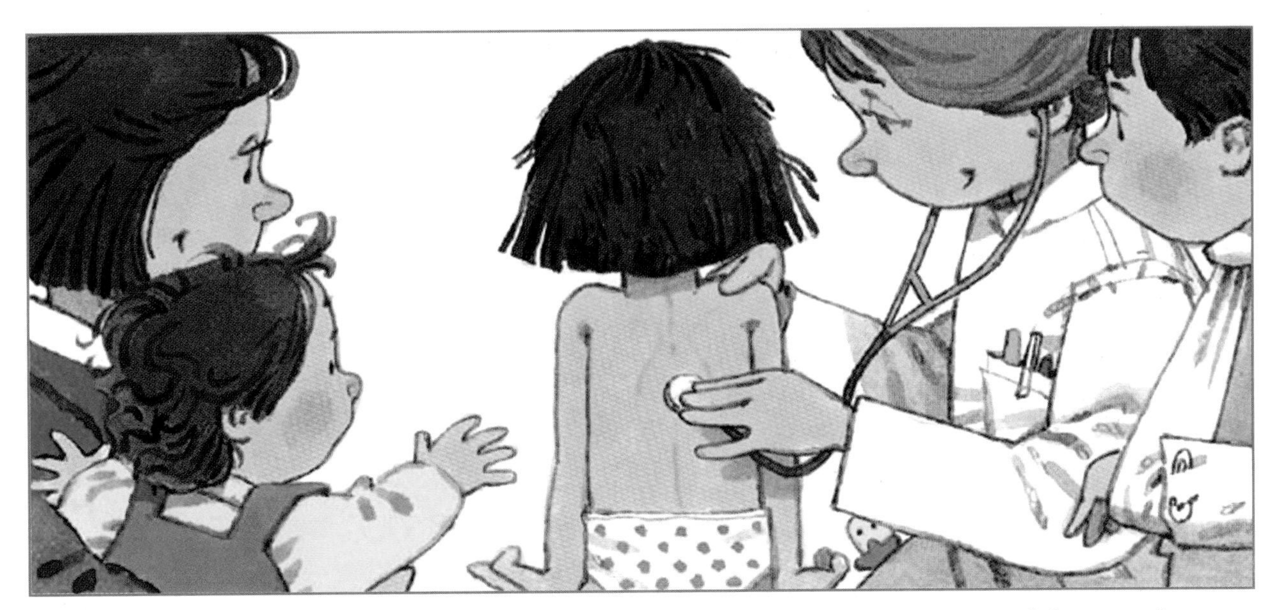

Mae Dr Ifans yn defnyddio stethosgop i wrando ar Hanna'n anadlu. "Anadla'n ddwfn, i mewn ac allan," mae hi'n dweud wrthi.

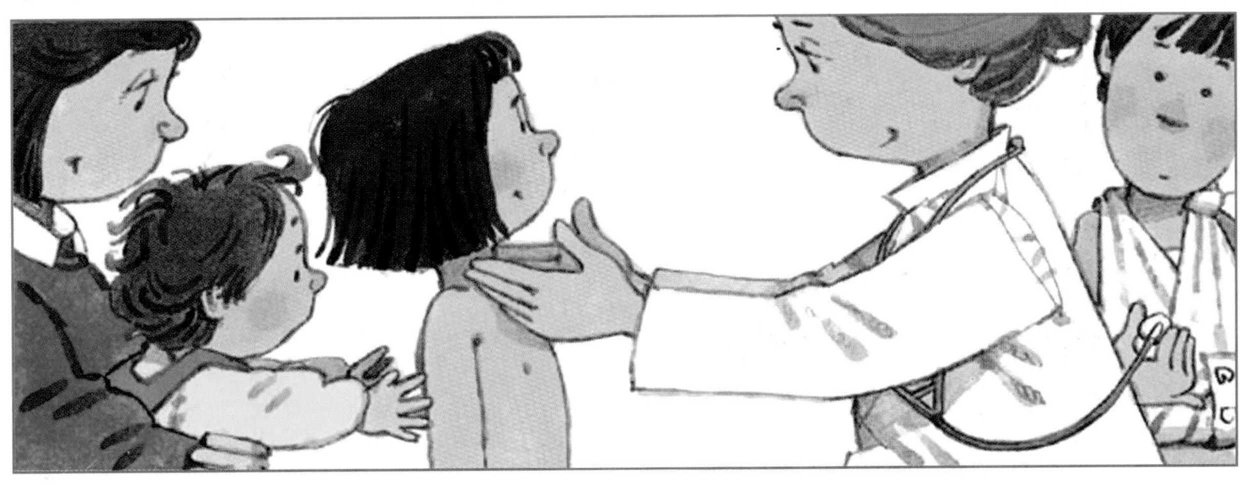

Yna mae hi'n teimlo gwddw Hanna. Ar ôl gorffen, mae Dr Ifans yn dweud, "Mae angen moddion i glirio dy frest di."

Mae Dr Ifans yn paratoi presgripsiwn ar gyfer Hanna.

Mae'r peiriant yn argraffu'r presgripsiwn ac mae'r meddyg yn ei lofnodi.

Tro Hywel yw hi nawr.

Mae Doctor Ifans yn rhoi brechiad i Hywel. Dim ond pigiad bach yw e.

Mae hi'n rhoi diferion iddo fe hefyd, rhag y polio. Yna mae hi'n dweud hwyl fawr wrth Mrs Harris a'r plant.

Mae Mrs Harris yn casglu presgripsiwn Hanna.

Mae Mrs Harris yn galw yn siop y fferyllydd. Mae hi'n rhoi'r presgripsiwn i'r fferyllydd ac mae e'n rhoi'r moddion iddi hi.

Mae Mrs Harris yn rhoi Hanna yn y gwely.

Mae Mrs Harris yn rhoi llwyaid o foddion iddi hi. “Byddi di’n well cyn bo hir,” mae hi’n dweud.

"Helô, sut mae pawb?" Mae Mr Harris wedi dod adref o'r gwaith.

Mae Huw yn neidio ar ei draed. "Mae Hywel yn iawn, ac mae Hanna yn y gwely, ond edrycha ar fy sling i!"

Cyhoeddwyd gyntaf yn Saesneg gan Usborne Publishing Ltd dan y teitl *Going to the doctor*.
Cyhoeddwyd gan Wasg y Dref Wen Cyf., 28 Ffordd yr Eglwys, Yr Eglwys Newydd, Caerdydd CF14 2EA Ffôn 029 20617860.
 Argraffwyd yng Ngwlad Belg.